DUPUIS

Du même auteur

Aux Éditions Glénat

Dans la série "Smax"
1- La guerre des boutons
2- La folie des glandeurs
3- Zéro zéro Smax
4- L'été meurtrier
5- Smackass

WWW.BERTSCHY.COM

Dépôt légal : mars 2006.
D. 2006/0089/5 — ISBN 2-8001-3770-3
© Dupuis, 2006.
Tous droits réservés.
Imprimé en France par PPO Graphic, 93500 Pantin.
www.dupuis.com

5

SORS IMMÉDIATEMENT LES MAINS EN L'AIR, MISÉRABLE!

HÉ! HÉ! C'EST MOI QUI FAIS PIPI LE PLUS LOIN.

HÉ! HÉ! NON, C'EST MOI

ENCORE UN COMMENTAIRE?

TU VOIS! TU AS RENCONTRÉ LE PRINCE CHARMANT GRÂCE À INTERNET!

JE RÉPARE VOTRE MODEM ET JE VOUS OFFRE UN VERRE, JOLIE MADEMOISELLE?

SI TU SABOTES ENCORE UNE FOIS MON ORDINATEUR, JE T'ÉCRABOUILLE.

HOT LINE

BON. JE ME CONCENTRE.

JE REGARDE FIXEMENT UN POINT.

MAIS JE NE VOIS TOUJOURS PAS DE DESSIN SUBLIMINAL SORTIR DE L'IMAGE!

IL N'Y A **PAS** DE DESSIN 3D DISSIMULÉ SUR MA CRAVATE FANTAISIE.

TOUJOURS FAIRE DU STRETCHING...

...POUR NE PAS SE CLAQUER UN MUSCLE...

...EN BÂFRANT UN PAQUET DE BISCUITS EN 15 CENTIÈMES DE SECONDE.

FLOYD? QUE FAIS-TU AVEC CETTE CORBEILLE SUR LA TÊTE?

JE M'ABRITE DES TROUS DANS LA COUCHE D'OZONE!

QUI T'A FAIT CROIRE À CETTE IDIOTIE?

TU TROUVES LE LA AVEC TON DIAPASON?

IL DOIT ÊTRE CASSÉ, JE NE TROUVE QUE DES OUILLE.

OUILLE!

TU VOIS?

JE VAIS REPRENDRE LE RÊVE D'ICARE LÀ OÙ IL L'AVAIT LAISSÉ.

MAIS COMMENT CONFECTIONNER DES AILES?

AVEC LES PLUMES D'UN COUSSIN!

GÉNIAL! ALEX VIENT PRENDRE UN CAFÉ CHEZ MOI!

ATTENTION! NE LAISSER TRAÎNER AUCUN TRUC EMBARRASSANT, GENRE CULOTTE OU VIEILLE CHAUSSETTE...

GRÂCE À NELSON, TA BOÎTE AUX LETTRES NE SERA PLUS JAMAIS ENCOMBRÉE D'E-MAILS PUBLICITAIRES!

J'ESPÈRE QUE TU N'AS RIEN DÉBRANCHÉ D'IMPORTANT!

HEU...

ON NE FAIT PAS D'OMELETTE SANS CASSER DES ŒUFS.

AVEC TOUTES CES MISES EN GARDE DANS LA PRESSE...

...SUR LES DANGERS DES COUPS DE SOLEIL...

...JE ME DEMANDE S'IL Y A **ENCORE** DES NAÏFS QUI VONT SE FAIRE SURPRENDRE CETTE ANNÉE!

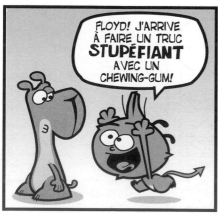

FLOYD! J'ARRIVE À FAIRE UN TRUC **STUPÉFIANT** AVEC UN CHEWING-GUM!

PFFF! TU PENSAIS VRAIMENT M'ÉPATER AVEC CETTE BULLE?

OUAW! TU ES SUPER-BIEN COIFFÉ!

OUAIS, C'EST DU GEL À TENUE **EXTRA**-FORTE!

JE PEUX TOUCHER?

CRAC !

T'AS VU, JULIE? MON HOROSCOPE INDIQUE TROIS SOLEILS EN AMOUR!

JE ME DEMANDE CE QUE ÇA SIGNIFIE...

ÇA SIGNIFIE QU'IL FAUT FAIRE ATTENTION AUX COUPS DE SOLEIL!

IL FAUT TOUJOURS COMMENCER PAR L'EXTÉRIEUR.

JE VOULAIS PARLER DES **COUVERTS**.

DONC, VOUS AVEZ L'IMPRESSION D'ÊTRE HABITÉE PAR UN DÉMON.

NON, J'HABITE **AVEC** UN DÉMON.

INTÉRESSANT. POURQUOI PENSEZ-VOUS QUE C'EST UN DÉMON?

VOUS PENSEREZ LA MÊME CHOSE DANS UNE SECONDE.

9

11

...ET LÀ, LE CANICHE DIT AU LÉVRIER: OUAF OUIF OUAF!

HO! HO! AHAHAH HO! HO! HI! HHI! AHAH HI! HI! AH HO! HO! HO!

AH AH AH ELLE EST BONNE!

JE PIGE RIEN À L'HUMOUR CANIN.

UN AUTRE EXEMPLE DE LÉGENDE URBAINE, DES MYGALES CACHÉES DANS DES RÉGIMES DE BANANES...

BANAN

HA! HA! HA! LES GENS CROIENT N'IMPORTE QUOI!

JE VÉRIFIE JUSTE QU'IL N'Y A PAS DE SERPENTS DANS LES CANALISATIONS.

CE SOIR, JE SORS LE GRAND JEU POUR SÉDUIRE ALEX.

DÎNER AUX CHANDELLES, ROBE DE SOIRÉE, VIN HORS DE PRIX...

QUOI! CE VIEUX TRUC POUSSIÉREUX? FFFFFFFF...

JE TE RAPPELLE QUE C'EST DU VIN HORS DE PRIX!

CE TOASTER EST D'UNE LENTEUR DÉSESPÉRANTE.

IL FAUT QUE JE TROUVE UNE SOLUTION POUR L'ACCÉLÉRER.

UN JET D'ALCOOL À BRÛLER N'EST PAS UNE BONNE IDÉE.

ATTENTION, FLOYD! C'EST DU POISON !

J'AI CRU QUE C'ÉTAIT UNE AMANITE PHALLOÏDE !

POURQUOI Y A-T-IL DE L'ARGENT DANS CETTE FONTAINE ?

SI TU Y JETTES UNE PIÈCE, UN DE TES VŒUX EST EXAUCÉ...

MON VŒU LE PLUS CHER....

ARGH! TON VŒU LE PLUS CHER A MIS DU KETCHUP SUR LE MIEN !

ATTENTION ! JULIE ET SON ÉVENTUEL BOYFRIEND REVIENNENT !

JE VAIS AJOUTER UNE DÉLICATE TOUCHE DE ROMANTISME.

UNE DEMOISELLE VA ARRIVER DANS UNE MINUTE AVEC UNE FLEUR COMME CELLE-CI.

ELLE VOUS DEMANDERA SI C'EST BIEN VOUS QUI AVEZ RÉPONDU À SON ANNONCE INTERNET...

ALORS, COMMENT ÉTAIT CE MYSTÉRIEUX "FRED@HOTMAIL" ?

RING RING RINGRING
TU N'OUVRES PAS, FLOYD?

SURTOUT PAS!
C'EST MON COUSIN LE FOX-TERRIER QUI VIENT S'INCRUSTER ET VIDER LE FRIGO!

CROIS-MOI, J'AI UN FLAIR INFAILLIBLE POUR DÉTECTER LES PARASITES.

JE VOUS RAPPELLE QUE VOUS ÊTES UN BANQUIER CORROMPU CONDAMNÉ À ERRER EN ENFER.

ET QU'ICI, IL N'Y A PAS DE CAFÉTÉRIA!

PSST! ON PEUT PEUT-ÊTRE COLLABORER...

L'ENFER EST TOUT À FAIT SUPPORTABLE QUAND ON S'ENTRAIDE!

LES STARS FONT LEUR PUB DANS LES JOURNAUX PEOPLE PUIS SE PLAIGNENT QU'ON VIOLE LEUR VIE PRIVÉE.

C'EST DES CAPRICES D'ENFANTS GÂTÉS!

...ET POUR FINIR LA VISITE GUIDÉE, NOUS ASSISTERONS AU BAIN DE JULIE.

JE SUIS DIPLÔMÉ DE LA MEILLEURE UNIVERSITÉ CANINE.

HA!HA! ON VOUS A APPRIS À GARDER DES MOUTONS?

NON, À OUVRIR DES BOÎTES D'ALIMENTS POUR CHIENS.
EXAMENS FINAU
FIG.A   FIG.B

LE CHOCOLAT ME REMONTE LE MORAL!

ÇA, C'EST PARCE QU'IL CONTIENT DES CANNABINOÏDES EUPHORISANTS...

...EN PLUS DES **100 CALORIES** PAR CARRÉ, BIEN SÛR...

TU CROIS QUE DES GLAÇONS DANS LE VENTILATEUR RENDRONT L'AIR PLUS FRAIS?

KRUK KRUK

MOI, JE PENSE PLUTÔT QUE ÇA VA FAIRE COMME UN ORAGE DE GRÊLE!

AH! TU VOIS? IL Y A DÉJÀ DES ÉCLAIRS!

BZZZ

JE L'AI MÊME PAS VU ATTERRIR! JE SUIS LE CHAMPION DU MONDE DE FREESBEE!

RING!

FLOYD, C'EST POUR TOI!

FLOYD

GÉNIAL! UN FESTIVAL DE MUSIQUE FOLKLORIQUE! HI!HI!

HA!HA! IL Y A DES COUPES À MOURIR DE RIRE!

TOUT CE QU'ON DIT SUR LES PORTEURS DE KILT EST VRAI.

NELSON, SI TU AS L'AQUARIUM SUR LA TÊTE, OÙ EST LE POISSON?

BIP! BIP!

ALLÔ, LA TERRE?

RELAX! IL BARBOTE TEMPORAIREMENT DANS UN VERRE...

...DE COCA.

JE VAIS FAIRE UN BONHOMME DE NEIGE.

EN PLEIN ÉTÉ?

TU ES MALADE?

MOI NON!

MAIS LUI SÛREMENT, IL EST TOUT VERT!

ICE CREAM PISTACHIO

J'ESSAIERAIS BIEN D'EMBRASSER MA VOISINE...

...MAIS J'AI L'IMPRESSION BIZARRE D'ÊTRE DANS UN DESSIN ANIMÉ...

...AVEC UN DIABLOTIN QUI FAIT NON DE LA TÊTE SUR MON ÉPAULE!

DES GENS SE TRANSCENDENT EN MARCHANT PIEDS NUS SUR DES BRAISES!

MEDITATION

COMMENT ADAPTER CE TRUC À L'ENFER?

FACILE! PIEDS NUS SUR DES GLAÇONS!

SNIF

TROIS QUATRE... CINQ...

BAF

ÉVITE DE FAIRE DES RICOCHETS AVEC UN BOOMERANG.

NELSON, GOÛTE AVANT DE DIRE QUE TU N'AIMES PAS!

UNE ARÊTE! ARGH!

COMMENT SAIS-TU QU'IL SIMULE?
IL N'Y A PAS D'ARÊTE DANS DES BROCOLIS.
AAARG

VOYONS CE QUI JUSTIFIE LE PRIX EXORBITANT DES NOUVELLES BASKETS DE JULIE.

BOM
BOING

UNE ÉLASTICITÉ EXCEPTIONNELLE SANS DOUTE.

SPOUTNIK, COMMENT FAIS-TU POUR MANGER EN PERMANENCE ET RESTER TOUT MAIGRE?

J'AI ATTRAPÉ UN VER SOLITAIRE EN BUVANT DE L'EAU STAGNANTE DANS UNE MARE.

ELLE EST OÙ, CETTE FAMEUSE MARE?

22

T'AS VU? ON TROUVE DES HOT-DOGS DANS LES BANANES TRANSGÉNIQUES!

VOILÀ QUI VA ME RÉCONCILIER AVEC LES FRUITS!

HA! HA! TA NAÏVETÉ FAIT PLAISIR À VOIR, FLOYD!

PLOCH

BONK

ON PEUT TOUT SE PERMETTRE AVEC DE LA CLASSE.

FLOF

BONK

ON A FONDÉ UN CLUB DE CHASSE AU RENARD.

MAIS ON CONNAÎT AUCUN RENARD!

APRÈS QUOI ON VA POUVOIR COURIR?

REGARDEZ COMME MA QUEUE DEVIENT TOUFFUE SI JE LA PASSE AU SÈCHE-CHEVEUX!

VOUS AVEZ **OSÉ** METTRE VOTRE NUMÉRO DE CARTE DE CRÉDIT SUR INTERNET!

HEY! COMMENT TU SAIS ÇA?

PARCE QUE VOTRE COMMANDE VIENT D'ÊTRE LIVRÉE.

LINDA LA POUPEE

KING SIZE

FLOYD! POURQUOI HARCÈLES-TU TOUTES LES CHIENNES QU'ON CROISE?

JE DOIS FAIRE UN **MAXIMUM** DE CHIOTS POUR MON PROJET DE FILM.

QUEL FILM?

LES 101 LABRADORS.

AÏE ! JE SUIS PIÉGÉ ICI!

COMMENT ATTENDRIR QUELQU'UN POUR ÊTRE SECOURU?

ÇA VA ÊTRE LA PIRE HONTE DE MA CARRIÈRE DE DIABLOTIN...

MIAOU

FLOYD, RENIFLER L'URINE DE TES CONGÉNÈRES, C'EST PAS TRÈS CLASSE...

HEU....JE... C'EST PAS **DU TOUT** CE QUE TU CROIS!

JE CHERCHAIS JUSTE MA LENTILLE DE CONTACT ÉGARÉE...

JULIE, REGARDE LA JOLIE TOQUE QUE J'AI FABRIQUÉE...

AVEC UN ÉCUREUIL MORT QUE J'AI TROUVÉ SUR LA ROUTE!

TU AS PARFOIS DES GAGS D'UN GOÛT DOUTEUX.

DZJJJJJJJ

POLISH

OUAH!

DES COOKIES!

AÏE!

MORDU LA LANGUE?

NON, MARCHÉ DESSUS.

OH! UN LÉVRIER EN PORCELAINE!

COMMENT LE RECYCLER DE FAÇON RIGOLOTE? HÉ! HÉ! HÉ!

OK., MON LASCAR! NELSON M'A DIT QUE TU VEUX ME DÉFIER AU "PREMIER QUI BOUGE A PERDU"?

27

SILENCE!

DRING

IL FAUT QUE CE REPRÉSENTANT EN ASPIRATEURS PENSE QU'IL N'Y A PERSONNE!

DRING DRING DRING DRING

BOM BOM BOM BOM TCH TCH

CES NOUVEAUX TÉLÉPHONES MULTIFONCTIONS VONT BIEN NOUS SIMPLIFIER LA VIE!

OUPS!

J'AI PAS FAIT EXPRÈS!

JE NE PIGE PLUS RIEN.

FLOYD S'EST ASSOMMÉ AVEC LA PORTE DU FRIGO!

VITE, LE QUESTIONNAIRE DE SURVIE!

HEU...
-RÉPOND-IL?
-RESPIRE-T-IL?

-RESTE-T-IL DU FLAN CARAMEL?

VOICI LES RAVAGES QUE PRODUIT UNE TROP LONGUE EXPOSITION DE LA PEAU AU SOLEIL....

JE NE REGRETTE PLUS LE PRIX FOU DE MON AUTOBRONZANT!

CES ROSES SONT POUR JULIE, ET JE...

ELLE N'AIME QUE LES ORCHIDÉES!

BAM

JE FILTRE LES RADINS.

HÉ! HÉ! SI J'ESSAYAIS D'ENLEVER L'ANTIVOL?

IMPOSSIBLE.

IL SE CASSERAIT...

...ET TU SERAIS COUVERT DE PEINTURE ORANGE.

J'AI ENCORE RIEN VOLÉ!

HOOO! C'EST UNE CITROUILLE MINIATURE!

NON, J'AI CREUSÉ UNE POMME!

J'AURAIS BIEN MIS UNE TOUTE PETITE BOUGIE À L'INTÉRIEUR.

MAIS JE N'AI TROUVÉ QU'UN PÉTARD CHINOIS.

HALLOWEEN, C'EST FINI.

IL FAUT DÉMONTER TOUTE LA DÉCO.

MAIS JE N'AI... C'EST MON VRAI NEZ, IMBÉCILE!

C'EST UN TEMPS D'AUTOMNE TYPIQUE: BROUILLARD ET HUMIDITÉ!

AAAAAAAAAATCHOM

TIENS, LE BROUILLARD S'EST LEVÉ!

PAR CONTRE, C'EST TOUJOURS TRÈS HUMIDE.

BAF

MIRACLE! C'EST PLUS FLOYD QUI PREND LES BEIGNES DANS CETTE BANDE DESSINÉE!

ATTENTION, FROLO! UNE BOURRASQUE DE VENT EMPORTE NELSON!

JE L'AI!

PLOK

OUF! J'AI CRU QUE ÇA FINIRAIT PLUS MAL!

HORS DE MON CHEMIN! VILAIN MATOU!

ET ARRÊTE DE HÉRISSER TES POILS POUR FAIRE BALÈZE!

AUCUN DE MES POILS N'EST HÉRISSÉ.

POUR LE MOMENT.

31

L'HABILETÉ DE CES CUISINIERS JAPONAIS EST IMPRESSIONNANTE.

TAK TAK TAK

LA MIENNE N'EST PAS MAL NON PLUS.

LE RUGBY, C'EST DU FOOTBALL AVEC UN BALLON OVALE...

ALORS, COMMENT S'APPELLE DU PING-PONG AVEC UNE BALLE OVALE?

UNE OMELETTE?

D'OÙ VIENNENT CES TRACES NOIRES DANS MA BAIGNOIRE?

FROT FROT FROT

BRRRRRRRRRRR

THÈME DE L'ÉMISSION: «MON ENTOURAGE M'EXASPÈRE»

NOTRE PREMIER TÉMOIN A CHOISI DE GARDER L'ANONYMAT.

IL Y A DES JOURS, J'AI PRESQUE DES ENVIES DE MEURTRE!

CE SERAIT PAS JULIE?

COMMENT RALLUMER LA FLAMME ENTRE JULIE ET MOI?

COMME TOUS LES BONS CHIENS: APPORTE-LUI SON JOURNAL!

EXCELLENT!

ÇA MARCHE PAS!

PAF PAF PAF PAF PAF

POURQUOI PERSONNE N'ACHÈTE NOTRE CALENDRIER SEXY?

PEUT-ÊTRE PARCE QU'ON EST DÉJÀ À POIL TOUT LE RESTE DE L'ANNÉE!

MAI   JUIN   AOÛT   AVRIL

AH, AH! TU VAS MOURIR, AFFREUX CROCODILE!

AU SECOURS! IL ESSAIE DE ME DÉVORER!

TIENS! TIENS! TIENS!

BAF BAF BAF

T'AS PIGÉ QUI EST LE PATRON?

33

AVEC UNE CHAUSSETTE ROUGE ET DE LA MOUSSE À RASER...

...ON PEUT RENDRE LES PIRES ENDROITS SYMPATHIQUES!

QUI A FAIT ÇA?

CHERCHE, FLOYD!

SNIF SNIF

SNIF SNIF

C'EST LE **VOLEUR** DE BISCUITS QUE JE VEUX TROUVER, IMBÉCILE!

JE ME DEMANDE SI LES BIJOUX DE JULIE SONT EN TOC.

NELSON! QUE FAIS-TU LÀ?

GLUB

TA MANIE D'ENTRER SANS FRAPPER T'A COÛTÉ UNE BAGUE!

FLOYD, ASSIS!

COUCHÉ!

FAIS LE BEAU!

JE DÉTESTE L'INFLUENCE QUE TU AS SUR CE CHIEN!

36

LE PÈRE NOËL, IL DESCEND QUAND DU CIEL?

DÈS QUE TU AURAS MANGÉ LES 24 CHOCOLATS DE TON CALENDRIER!

FINI!

J'OSE PLUS TE PRENDRE AU BUREAU...

...NI TE LAISSER SEUL CHEZ MOI.

MAIS, PROMIS, JE REVIENS TE CHERCHER À 18 HEURES...

CRÈCHE

TU ENVOIES UN FAX AU PÈRE NOËL? TU ES SÛR QU'IL EXISTE?

J'AI DÉJÀ LA CERTITUDE QU'IL A UNE LONGUE BARBE BLANCHE ET QU'IL NE SAIT PAS SE SERVIR D'UN FAX.

COMMENT?

PARCE QU'IL ESSAIE DE ME RÉPONDRE!

EXACT, NELSON. LA DINDE EST UN VOLATILE.

PRÉCISÉMENT! LA TIENNE S'EST SÛREMENT ÉVADÉE PARCE QUE LES DINDES SAVENT VOLER!

PAS CELLES FARCIES AUX MARRONS!

C'EST PAS LE MOMENT D'ALLER FAIRE UNE RÉCLAMATION CHEZ LE PÈRE NOËL!

IL VIENT DE PARCOURIR 25.678.986 KILOMÈTRES EN 24 HEURES!

T'AS RAISON, ON REVIENDRA PLUS TARD.

TU AS DE LA PEINE À T'HABITUER À TON APPAREIL DENTAIRE?

OUILLE! OUILLE!

CH'EST PAS UN APPAREIL DENTAIRE!

OUILLE! OUILLE!

CH'EST JULIE QUI A MIS UN PIÈGE À CHOURIS DANS LE FRIGO!

COMMENT VA L'INDIGESTION DE NELSON?

FAISONS UN TEST.

BOP

MAL. IL NE SUPPORTE MÊME PLUS LE BRUIT DE LA PORTE DU FRIGO...

BURP!

NELSON A VU 547 FOIS LA SCÈNE DE LA MAISON EN PAIN D'ÉPICE D'HÄNSEL ET GRETEL!

ÇA A L'AIR DE BEAUCOUP LE PERTURBER.

FROLO

UNE PATINOIRE N'EST PAS UN ENDROIT POUR FAIRE LE PITRE, NELSON!

BONNE ANNÉE, FLOYD!
BONNE ANNÉE, NELSON!

QUELLE EST TA BONNE RÉSOLUTION?
JE VAIS ŒUVRER POUR LA PAIX!

HÉ! C'ÉTAIT MA RÉSOLUTION!
C'ÉTAIT LA MIENNE EN PREMIER!

COPIEUR!
MENTEUR!

J'HÉSITE À PARFUMER MA LETTRE POUR ALEX.
ÇA FAIT PEUT-ÊTRE UN PEU KITSCH?

LÈCHE, FLOYD! ON REND SERVICE À JULIE!

RELAX, FLOYD.
UN BON NŒUD À CE PARE-CHOCS ET TU PEUX DIRE ADIEU....

...À TON PROBLÈME DE MOLAIRE AVANT GAUCHE, QUI BRANLE!
VROAM

JE ME DEMANDE BRUSQUEMENT SI C'ÉTAIT PAS LA MOLAIRE AVANT DROITE.

C'EST PLUS LE MOMENT DE RÉFLÉCHIR: SI SUPERDOG PEUT VOLER...

SUPERFLOYD LE PEUT AUSSI!

SAUF QUE SUPERDOG EST UN HÉROS DE DESSIN ANIMÉ!

AAAAAAAAAA

N'APPROCHE PAS TROP DES PAROIS, NELSON!

PARCE QU'ELLES CONTIENNENT DE L'AMIANTE CANCÉRIGÈNE?

NON, PARCE QUE TU ES TROP PETIT POUR GUIDER CETTE TROTTINETTE.

ATTENTION, JE VAIS METTRE MA TÊTE DANS LA GUEULE DE CE FAUVE.

GRRRR...

C'EST PLUS DANGEREUX QUE ÇA EN A L'AIR...

...QUAND ON CONNAÎT L'HALEINE DE FLOYD!

J'AI TROUVÉ UNE PERLE!

T'AS PAS INTÉRÊT À CE QUE JULIE APPRENNE QUE T'AS TREMPÉ SON COLLIER DANS UNE HUÎTRE!

PFOOU! PAS MARRANT!

Y A UN TRUC QUI SENT LE POISSON ICI...

MAIS... C'EST DES **VRAIS** BILLETS!

T'INQUIÈTE PAS ET JOUE!

DÉSOLÉ, NOUS N'ACCEPTONS PAS LES PETITS HÔTELS ROUGES EN BOIS.

22 H 30. FILM D'HORREUR. ÂMES SENSIBLES S'ABSTENIR. HI! HI! HI!

AAAA

AAAH

J'AI L'ÂME **BEAUCOUP** PLUS SENSIBLE QUE PRÉVU.

AAAH! J'AI UN BOUTON SUR LE FRONT!

IL DOIT ÊTRE **ÉNORME** POUR TE FAIRE HURLER COMME ÇA!

AAAH!

N'EN FAIS PAS TROP!

50 BOÎTES DE PUDDING! SÛREMENT UN RECORD!

QUELQU'UN POURRAIT TÉLÉPHONER AU GUINNESS BOOK?

MOI, J'EN SUIS MOMENTANÉMENT INCAPABLE.

43

45

Nelson

**S'INCRUSTE
CHAQUE SEMAINE
DANS**

SPIROU

ET SUR

SPIROU.COM